RAM TAM TOOSH

An Anthology of Scottish Verse for Children

Edited by
Alan Macdonald and Ian Brison

Illustrated by John Harrold

Oliver & Boyd
In conjunction
with the Association for Scottish Literary Studies

For Andrew, Alastair, Stuart and Imogen

Oliver & Boyd
Robert Stevenson House
1–3 Baxter's Place
Leith Walk
Edinburgh EH1 3BB
A Division of Longman Group Ltd

First published 1982

ISBN 0 05 003408 1

Printed in Hong Kong by
Wing Tai Cheung Printing Co Ltd

Contents

Foreword

Poems written by adults for children are generally insufferable–patronising, sentimental, twee–though, of course, there are successes. Robert Louis Stevenson had a good shot at this tricky art, and William Soutar and J. K. Annand a better one. Their poems, as I know from experience, are much relished by children.

But it's the poems composed by children that specially fascinate me. I'll try to unfankle two or three of their characteristics.

One is the fine, free-and-easy way they have with their imaginations. Never mind what comes or why (even if it's there only because it fits the rhyme scheme) they'll make use of it. Surrealism? They knew all about that before the word was thought of.

Mrs. Wright	Saw a ghost
Got a fright	Eating toast
In the middle	Half way up
Of the night.	A lamp-post.

There's an image for you. It's also comic. And the comic muse is very much a favourite one. They can't resist her. A nice example is *Mrs. Red/Went to bed*..., on page 28. And I remember being stopped in my tracks in a school playground by sweet voices warbling, to the opera tune:

La donna e mobile
Her legs are wobb-i-ly.
No blooming wonder,
See what they're under.

Those (if there are any left) who think of children as "trailing clouds of glory" must be taken aback by the presence of what looks like cruelty in a good many of their varied inventions. There are few of these in this collection, but compare the bonny first verse of *Clok-leddy, clok-leddy* with the second. There's a change of tune here. But there's no gloating. It may be innocently heartless, but it's not sadistic.

And always, and especially, they're alive with a most remarkable *energy* that puts to shame many of the languid productions of their elders and, I suppose, betters, that one reads in contemporary books and magazines.

Last comment. It's odd that so many are in Scots, that "dying language". It makes you think.

Norman MacCaig

Whispers

Hey, Tam!
Ay, Jock!
Gie's a bittie—
I'll trock.

Trock fut?
Bools—look!
A richt,
Tak a sook.

Tom Brown!
Yes, miss.
Come here!
Feich aliss!

J. C. Milne

gie's *give me* trock *swap, exchange*
fut *what* bools *marbles* sook *suck*
feich aliss *sound of disappointment*

FACE GAMES

(One player touches the other person's face.)

Chap at the door	(Tap the forehead.)
Keek in,	(Open up the eyes.)
Lift the sneck	(Lift first finger up under nose.)
Walk in.	(Open the mouth.)

(This next game is played by either touching or pointing to the parts of the face. Tickle underneath the chin, and point to the open mouth.)

Brow, brow, brenty
Eye, eye winkie,
Nose, nose, nebbie,
Cheek, cheek, cherry,
Mou, mou, merry,
Chin, chin, chackie,
Catch a fly, catch a fly.

(This rhyme from Orkney is played like the last one.)

Me broo brinkie,	(forehead)
Me eye o life,	(eye)
Me bubbly ocean,	(nose)
Me peerie knife,	(teeth)
Me chin cherry,	(chin)
Me trapple kirry, kirry.	(throat)

chap *knock* keek *look* sneck *latch* peerie *little*

COUNTING-OUT RHYMES

Zeenty, teenty, haligo lum,
Pitchin tatties doon the lum,
Wha's there? Johnny Blair.
What d'ye want? A bottle o beer.
Where's your money? In my purse.
Where's your purse? In my pocket.
Where's your pocket? I forgot it.
Gae doon the stairs, you silly blockheid.
You are out.

"My mither and your mither
Were hanging out their clothes.
My mither gave your mither
A dunt on the nose.
What was the colour of the blood?"
"Green."
"G-R-E-E-N spells green
And O-U-T spells out."

lum *chimney* dunt *blow*

(These rhymes work in one of two ways. Usually those who are "out" are eliminated one by one and counting is repeated until the one who is "het" or "it" is left—sometimes the first one "out" is "it".)

Eentie teentie terry erry ram tam toosh,
Go to the cellar, catch a wee mouse:
Cut it up in slices, fry it in the pan.
Mind and leave the gravy for the fat wee man!

Eetle ottle black bottle
Eetle ottle out,
If ye want a piece and jam
Please step out.

Inky pinky peerie winkie,
L domin I,
Arky parky tarry rope,
Ann tan, toozy Jock.

Three wee tatties in a pot,
Go and see if one is hot:
If it is, cut its throat,
Three wee tatties in a pot.

Eentie teentie tithery mithery bamfileerie
Hover dover—you are out!

Itim pitim peni pay,
Jinkim jurim jini ja,
White fish, blak trut,
Gjebi Gaut du's ut.

du's ut *you're out*

Coontit Oot

Eenerty, feenerty, fickerty, feg,
I SAW A MAN WI A CROOKETY LEG,
Irkie, birkie, story, rock,
AIRMIN A WIFE WI A RAGGITY FROCK,
Black pudden, white troot,
FAT WERE THAE TWA TINKS ABOOT?
El, del, domin eg,
SHE RAPT AT THE DOOR AN BEGUID TAE BEG,
THE COLLIE FLEW OOT AND GIED HER A FLEG,
HE NIPPIT HER ANKLE, AN TORE HER FROCK,
An, tan, toose, jock,
MY MAN WOKE UP, AND THREW THEM OOT,
Black pudden, white troot.

AN THAT'S THE END O MY STORY.

Helen B. Cruickshank

airmin *arm in arm with*
fat *what* beguid *began* fleg *fright*

BIRDS

Burds

great
tae be hunners o burds
an sit in trees
an wash yer nebs
in rainy leaves.

Alan Jackson

The Three Ganders

Three gaucy ganders,
Quickum, Quaickum, Quack,
Wabbl'd owre a green field
And syne wabbl'd back.

Quickum fund a bum-clock;
Quaickum fund a black;
But nae mair nor naething
Had been fund be Quack.

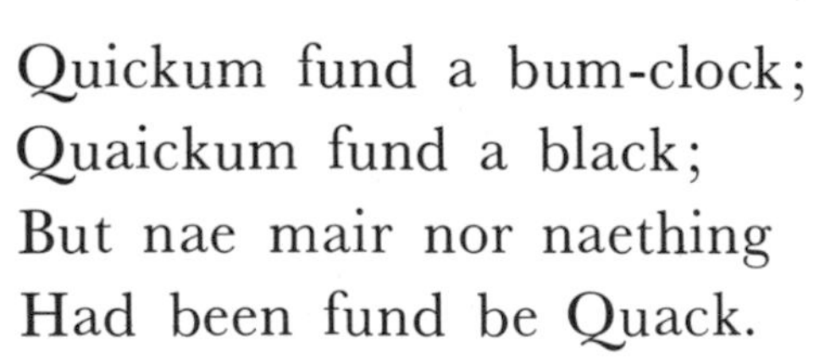

"Heh-ho." said Quickum:
"It's been a braw walk."
"A braw walk," said Quaickum,
But nae word said Quack.

William Soutar

nebs *beaks* gaucy *plump*
wabbl'd *waddled* syne *then*
bum-clock *humming beetle* black *black beetle*

Heron

A humphy-backit heron
Nearly as big as me
Stands at the waterside
Fishin for his tea.
His skinnie-ma-linkie lang legs
Juist like reeds
Cheats aa the puddocks
Sooming 'mang the weeds.
Here's ane comin,
Grup it by the leg!
It sticks in his thrapple
Then slides doun his craig.
Neist comes a rottan,
A rottan soomin past,
Oot gangs the lang neb
And has the rottan fast.
He jabs it, he stabs it,
Sune it's in his wame,
Flip-flap in the air
Heron flees hame.

J. K. Annand

puddocks *frogs* sooming *swimming*
thrapple *throat* craig *neck* neist *next*
rottan *rat* neb *beak* wame *stomach*

The corbie wi his roupy throat
Cawed frae the leafless tree,
"Come owre the loch, come owre the loch,
Come owre the loch wi me!"

The craw pit up his sooty head
An cried, "Where to? Where to?"
"Tae yonder field," the corbie cried
"Where there is corn enow."

"The ploughman ploughed the land yestreen,
The farmer sowed this morn,
An we can mak a full, fat meal
Frae off the scattered corn."

The twa black birds flew ower the trees,
An flew towards the sun,
The farmer watchin by a hedge,
Shot baith wi his lang gun!

corbie *raven*
roupy *rough, harsh* enow *enough* yestreen *yesterday*

Waggletail

Out rins Waggletail
Cheep, cheep, chitterin,
Jinkin owre the dewy grass
And spurtlin up a spitterin.

Bobbin here, bobbin there,
Fliskerin and flitterin;
Jinkin owre the dewy grass
Wi his leggies whitterin.

William Soutar

The craw killed the pussy, O,
The craw killed the pussy, O,
The mammie cat sat doon and grat
In Johnnies wee bit hoosie, O!
The craw killed the pussy, O,
The craw killed the pussy, O,
An aye, an aye, the kitten cried,
"Oh wha'll catch me a moosie, O?"

fliskerin *capering* whitterin *scurrying*
jinkin *dodging* grat *wept*

TO BE SAID...

To **someone who calls you names ...**

Sticks and stanes will brak my banes
But names will never hurt me.

or

I dinna care what ye ca' me, so long
as ye dinna ca' me ower.

To **a hiccup ...**

Hiccup, hiccup, gang away,
Come again another day;
Hiccup, hiccup, when I bake
I'll gie you a butter cake.

As a Grace before **eating** ...

Hurly, hurly roon the table,
Eat as muckle as you're able;
Eat muckle, pooch nane,
Hurly, hurly, Amen.

or

What's for supper? Pease-brose an butter.
Wha'll say the grace? I'll say the grace.
Eat a bittie, eat a bittie, taste, taste, taste.

ca' me ower *knock me over*
pooch nane *put none in your pocket* pease-brose *pease porridge*

TO BE SAID...

To **show you will keep your word ...**

As true's death, cut my breath
Wi God's penknife.

To **tell your fortune with cherrystones, buttons ...**

A laird, a lord, a rich man, a thief,
A piper, a drummer, a stealer o beef.

To **a child on his birthday ...**

Monday's bairn is fair o face;
A Tuesday's bairn is fu o grace;
Wednesday's bairn is a bairn o woe;
Thursday's bairn has far to go;
A Friday's bairn is lovin an givin;
Saturday's bairn works hard for a livin;
But the bairn that's born on the Sabbath day
Is bonny and blithe and wyce and gay.

As quickly as possible ...

Rob Lowe's lum reeks
Roond aboot the chumley cheeks.

blithe *cheerful* wyce *sensible* lum *chimney*

QUEER FOWK

Twa-leggit Mice

My mither says that we hae mice
That open air-ticht tins
And eat her chocolate biscuits
And cakes and siclike things.

Nae dout it is an awfu shame
That mice should get the blame.
It's really me that rypes the tins
When left my lane at hame.

But jings! I get fair hungert
And biscuits taste sae nice.
But dinna tell my mither for
She thinks it is the mice.

J. K. Annand

Geordie Kilordie

Geordie Kilordie, the laird o Knap,
Suppit his brose and swallowed the cap;
He gaed to the byre and swallowed the coo.
"Hey," said Geordie, "I'll surely do noo!"

siclike *suchlike*
rypes *steals from* brose *a kind of porridge* cap *bowl*

I went tae the pictures tomorra
I took a front seat at the back,
I fell frae the pit to the gallery
And broke a front bone at the back.
A lady she gied me some chocolate,
I ate it and gied her it back.
I phoned for a taxi and walked it,
An that's why I never came back.

There was a wee wife row't up in a blanket
Ninety times as high as the moon,
An what did she there, I canna declare,
For in her oxter she carried the sun.
"Wee wife, wee wife," quo I,
"O what are ye doin up there sae high?"
"I'm blawin the cauld cloods oot o the sky."
"Weel dune, weel dune, wee wifie!" quo I.

pit *stalls* row't *rolled* oxter *armpit* quo *said*

Oor teacher's a smasher
A face like a tottie masher
A nose like a pickled onion
And eyes like green peas.

....

The minister in the pulpit,
He couldnae say his prayers,
He laughed and he giggled
And he fell doon the stairs.
The stairs gave a crack
And he broke his humphy back,
And a the congregation
Went, 'Quack, quack, quack!'

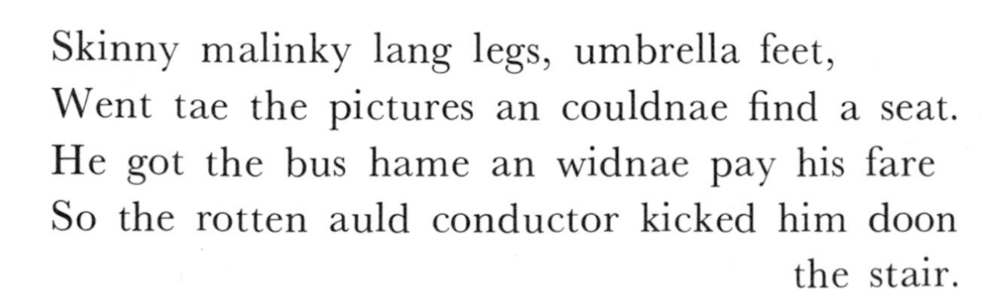

Skinny malinky lang legs, umbrella feet,
Went tae the pictures an couldnae find a seat.
He got the bus hame an widnae pay his fare
So the rotten auld conductor kicked him doon
the stair.

tottie *potato*

FINGER AND HAND GAMES

(This verse is used when something is being held in a clenched fist and another person has to guess which hand contains the object.)

Nievy, nievy, nick-nack
Which hand will ye tak?
O tak the richt or tak the wrang,
And I'll beguile you if I can.

(This rhyme is usually said by an adult or child to another child, counting from thumb to little finger—seizing the last and shaking it at "Pirly Winkie".)

This is the man that broke the barn,
This is the man that stole the corn,
This is the man that ran awa,
This is the man that tell't a,
An puir Pirly Winkie paid for a, paid for a.

nieve *fist*

There's the kirk,
There's the steeple,
Open the doors
And see the people!

Here are the choirboys
Going upstairs,
And this is the meenister
Saying his prayers!

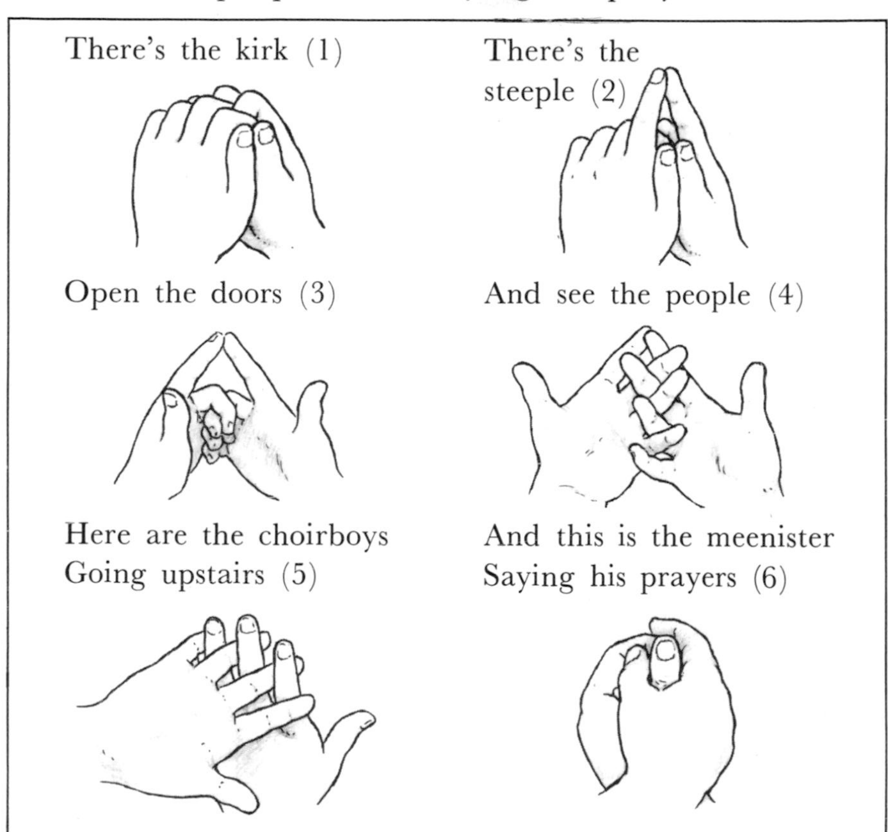

Finger-naming Game

(Each finger is grasped in turn,
Starting with the thumb.)

Thumb-hold, thicketty-thold,
Long man, lick pan,
And mammie's wee man.

Tickling Game

(An adult or child says this to another child, tickling him at the last three lines.)

There was a man
In Muir o Skene,
He had dirks
And I had none;

But I fell on him
Wi my thumbs
And wot you how
I dirkit him,
Dirkit him,
Dirkit him?

Wishing Game

(Adult and child, or two children, put little fingers and thumbs of right hands together as they say these words.)

Pinkety, pinkety, thumb to thumb,
Wish a wish and it's sure to come.
If yours come true,
Mine will come true,
Pinkety, pinkety, thumb to thumb

Dirk *knife* pinkety *pinkie*

Pussy, Pussy Paten

Pussy, Pussy Paten, where hae ye been?
I hae been in London seeing the Queen.
What got ye there?
Sour milk and cream.
Where's my share?
In the black dog's tail.
Where's the black dog?
In the wood.
Where's the wood?
The fire burned it.
Where's the fire?
The sea drowned it.
Where's the sea?
The bull drank it,
Where's the bull?
The butcher killed it.
Where's the butcher?
Ten miles below my granny's door, eating two salt herrin and two raw potatoes.

WEATHER RHYMES

Snailie, snailie, pit oot yer horn,
An tell me it'll be a fine day the morn.

Mony hawes,
Mony snaws.

....

The south wind—heat and plenty,
The west wind—fish and cheese,
The north wind—cauld and stormy,
The east wind—fruit on trees.

hawes *hawthorn berries*

Wild geese, wild geese, ganging to the sea,
Good weather it will be.
Wild geese, wild geese, ganging to the hill,
The weather it will spill.

Half past ten, dingin on o rain,
Half past twa, dingin on o snaw.

dingin *beating down*

Nip, nip, taes,
The tide's comin in.
If ye dinna rin faster,
The sea will tak ye in.

The Droun'd Bell

Owre hill and brae
The haar drifts doun:
Wanders a' wey
And smoors the toun.

Nae steeples bide,
Nor spires, abune
The soundless tide
Aye rowin in.

Grey lift attowrs:
Grey sea ablow:
And at the hour
The droun'd bell's jow.

William Soutar

haar *sea mist*
a' wey *everywhere* smoors *smothers* bide *remain*
abune *above* rowin *rolling* lift *sky*
attowrs *above* ablow *below* jow *clang, ring*

Dance to your daddie,
My bonnie laddie,
Dance to your daddie,
My bonnie lamb!
Ye will get a fishie
In a little dishie,
Ye will get a fishie
When the boat comes hame.

Dance to your daddie,
My bonnie laddie,
Dance to your daddie,
My bonnie lamb!
Ye will get a coatie,
And a pair o breekies,
Ye will get a whippie
And some bread and jam.

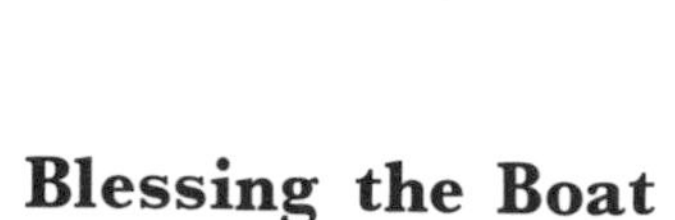

Blessing the Boat

Fae rocks an sands
An barren lands
An ill men's hands
Keep's free.
Weel oot, weel in,
Wi a gweed shot.

whippie *small whip*

gweed shot *good catch*

BALL GAMES

Mrs Red
Went to bed.
In the morning
She was dead.

Doctor came,
Took her name,
Told her not to
Die again.

......

Mrs Blue
Lost her shoe
In a bottle
Of Irn Bru.

......

Dark tan
Light tan
Every colour
But tartan.

......

Granny Green
Sells ice cream
On the shore
Of Aberdeen.

Mrs White
Got a fright
In the middle
Of the night.

Saw a ghost
Eating toast
Half-way up
A lamp post.

BEASTIES

Leddybird

See sittin on my nieve, this wee wunner;
Taks a fat greenflie frae the roses for her dinner.
Faulds her wings genteel doon ower her back . . .
Bricht rid buttons on a coat o black,
Syne big black blobs on a rid coat . . .
Whitna ferlie's this I've got?

Gif ye straik her humph wi a clumsy paw
She's no there avaa.

Sandy Thomas Ross

nieve *fist*   syne *then*   ferlie *wonder*
gif *if*   straik *stroke*   avaa *at all*

Beasties

Clok-leddy, clok-leddy,
Flee awa hame,
Your lum's in a lowe,
Your bairns in a flame;
Reid-spottit jeckit
An polished black ee,
Land on my luif, an bring
Siller tae me!

Ettercap, ettercap,
Spinnin your threid,
Midges for denner, an
Flees for your breid;
Sic a mischanter
Befell a bluebottle,
Silk roond his feet—
Your hand at his throttle!

Moudiewarp, moudiewarp,
Howkin and scartin,
Tweed winna plaise ye
Nor yet the braw tartan,
Silk winna suit ye
Neither will cotton,
Naething, my lord, but the
Velvet ye've gotten.

Helen B. Cruickshank

clok-leddy *ladybird*
lum's in a lowe *chimney's on fire*
luif *hand* siller *money*
ettercap *spider*
sic a mischanter *such bad luck*
throttle *throat*
moudiewarp *mole*
howkin and scartin *digging and scraping*

Incy wincy spider
Climbing up the spout,
Down came the rain
And washed the spider out.

Out came the sunshine
Dried up all the rain:
Incy wincy spider
Climbed the spout again.

....

Fower-and-twenty tailor lads
Were fechtin wi a slug,
"Ho, sirs!" said ane o them,
"Jist haud him by the lug!"
The beastie frae his shell cam oot
An shook his fearsome heid:
"Rin, rin, my tailors bold
Or we will a be deid!"

fechtin *fighting*   lug *ear*

Sheep Skull

All through the day
The sheep's skull stares at me
With its glaikit eyes.
Its face is bone.
Its teeth are bone.
And so am I.

Ronald Small (aged 11)

"Lingle, tingle, lang tang,
Oor cat's deid!"
"What did she dee wi?"
"Wi a sair heid!"

"A you that kent her,
When she was alive,
Come to her funeral
A-tween fower an five!"

kent *knew* glaikit *stupid*

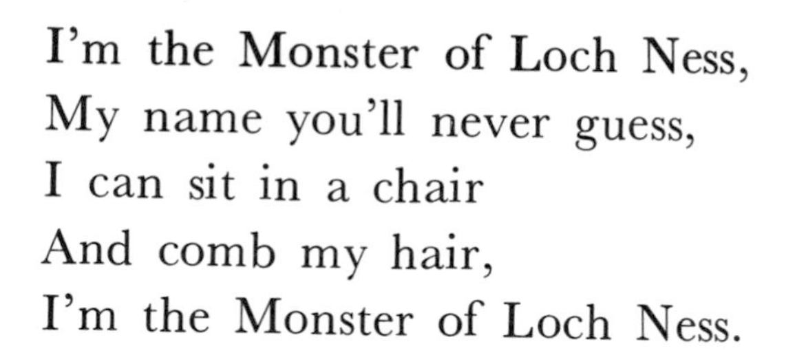

I'm the Monster of Loch Ness,
My name you'll never guess,
I can sit in a chair
And comb my hair,
I'm the Monster of Loch Ness.

I'm the Monster of Loch Ness,
My name you'll never guess,
I can twirl in a ring
And do the Highland fling,
I'm the Monster of Loch Ness.

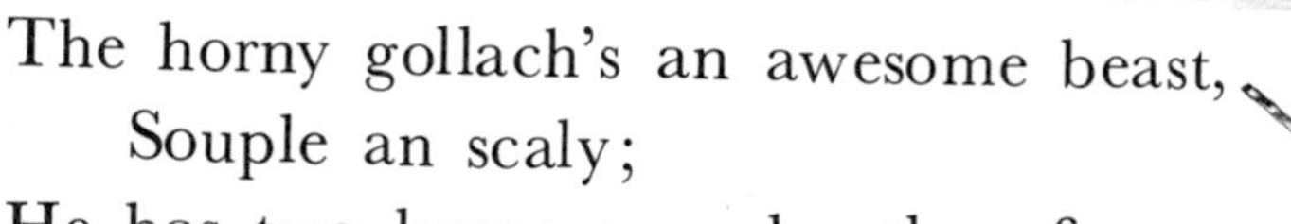

The horny gollach's an awesome beast,
Souple an scaly;
He has twa horns an a hantle o feet
An a forkie tailie.

horny gollach *earwig*
souple *twisty*, *flexible* hantle *lot*

ho
it wis a laugh
been
a giraffe like
ma neck
goat sneckit
in this tree
so ah says
haw Sara
an she says whit
way ur ye stannin
aa bandy-leggit
ah says
so help me
get
yir
giraffe
free

Ian Hamilton Finlay

been *being*
sneckit *caught*

RIDDLES

First I am as white as snow
Then as green as grass I grow,
Next I am as red as blood
Lastly I'm as black as mud.

....

A wee, wee hoose, fu fu o meat;
There's neither door nor window tae let you in
tae eat.

....

Come a riddle, come a riddle, come a rot, tot,
tot
A roun roun man in a red red coat:
A staff in his hand and a stane in his throat,
Come a riddle, come a riddle, come a rot, tot,
tot.

....

Riddle-me-ree, me-ree, what's that,
Owre the heid and under the hat?

....

The robbers cam to oor hoose
When we were a in;
The hoose ran oot at the windows
An we were a taen.

meat *food*   owre *above*   taen *caught*

Answers are: *bramble*; *egg*; *cherry*; *hair*; *fish caught in a net.*

In a wee pit
But no amang stour;
Has a strange rit
But nae leaf nor fleur.

Lat it be stout
Or lat it be slack,
Aince lat it oot
And it winna gang back.

William Soutar

Whan ye brak it in fine weather
Wi a stane or a stick
It will aye gang thegither
Nae matter hoo ye lick.

But whan ye come in winter
And rattle it as roch
Nae doot ye'll gar it splinter
Gin the day be cauld eneuch.

William Soutar

stour *earth, dirt*
rit *root* lick *hit* roch *roughly*
gar *make* gin *if* eneuch *enough*

Answers are: *tooth*; *the surface of a pond.*

Bawsy Broon

Dinna gang out the nicht:
Dinna gang out the nicht:
Laich was the mune as I cam owre the muir;
Laich was the lauchin though nane was there:
Somebody nippit me
Somebody trippit me;
Somebody grippit me roun' and aroun':
I ken it was Bawsy Broon:
I'm shair it was Bawsy Broon.

Dinna win out the nicht:
Dinna win out the nicht:
A rottan reeshl'd as I ran be the sike.
And the dead-bell dunnl'd owre the auld
kirk-dyke:
Somebody nippit me,
Somebody trippit me,
Somebody grippit me roun' and aroun':
I ken it was Bawsy Broon:
I'm shair it was Bawsy Broon.

William Soutar

laich *low* lauchin *laughing*
rottan *rat* reeshl'd *rustled*
sike *marsh, bog* dunnl'd *tolled*

AUTUMN

Fareweel

Fareweel! Fareweel! the swallows cry
Skimmerin back and fore.
The peesies skreel: Fareweel! Fareweel!
And tummle owre and owre
In the blythe sky.

The wintry day seems far awa;
And yet the e'en see plain;
The leaf frown grey, the windlestrae;
And yonder on the ben
A glint o snaw.

William Soutar

peesies *lapwings*
windlestrae *withered grass*

A Blowthery Day

Doon frae Ben MacDhui
A blarin, blatterin blowf
Skited aff the chimley-pat
Frae Teenie Tamson's howff.

Oot breeng'd Teenie Tamson
And yokit on the win':
"Awa! Awa! ye blunnerin blumf,
D'ye no see what ye've dune?"

William Soutar

blowf *gust of wind*
howff *cottage*
breeng'd *stormed*
yokit *set upon*

The Girl of the Golden City

The wind, the wind, the wind blows high
The snow comes falling from the sky:
Jenny Donald says she'll die
For the want of the golden city.

She is handsome, she is pretty
She is the girl of the golden city:
She has lovers, one, two, three,
Please will you tell me who they be?

The Princess Anastasia

The Princess Anastasia
Look't frae the turret wa
And saw ahint the mirkl'd hill
A flichterin star fa.

The Princess Anastasia
Stude in the licht o the mune,
And ane be ane her siller tears
Drapp't clear and glisterin.

William Soutar

ahint *behind*
mirkl'd *dusky, darkened* siller *silver*

HALLOWE'EN

This is the nicht o Hallowe'en
When the witches can be seen,
Some are black and some are green
And some the colour o a turkey bean.

....

Tramp, tramp, tramp, the boys are marchin,
We are the guisers at the door.
If ye dinnae let us in
We will bash yer windies in
An ye'll never see the guisers any more.

Hallowe'en

First comes the kirn-feast,
Neist Hallowe'en;
I got mysel a muckle neep
Frae Farmer Broon yestreen.

I'll hollow oot the inside,
Mak flegsome een and mou,
Pit in a lichted caunle
To gie them aa a grue.

We're ready noo for guisin
An a the friendly folk
Gie aipples, nits and siller
To fill the guiser's poke.

We'll feenish up at my hoose
Doukin in a byne
And eatin champit tatties
Like auld lang syne.

J. K. Annand

kirn-feast *feast at the end of harvesting*
neist *next* muckle neep *big turnip*
flegsome *fearful* grue *fright*
nits *nuts* siller *silver, money* poke *pocket*
byne *tub* champit tatties *mashed potatoes*

WINTER

A Hint o Snaw

The fleur has fa'en:
The bird has gaen:
In stibble fields
Glint stane and stane.

A swurl o leaves
In the cauld blast;
And on the brae
A click o frost:

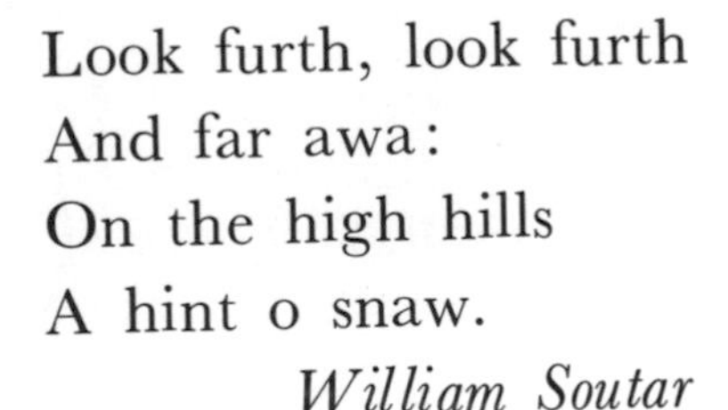

Look furth, look furth
And far awa:
On the high hills
A hint o snaw.

William Soutar

click *gleam*   furth *further*

Three wee mice, skating on the ice,
Singing, "Polly-wolly-doodle all the day." (Olé!)
The ice was thin and the mice fell in,
Saying, "Daddy, Mammy, Granny, I'm away!"
(Cheerio!)

Background

Frost, I mind, an snaw,
An a bairn comin hame frae the schule
Greetin, nearly, wi cauld,
But seein, for a that,
The icicles i the ditch,
The snaw-ploo's marbled tracks,
An the print o the rabbits' feet
At the hole i the wire.

"Bairn, ye're blue wi cauld!"
An apron warmed at the fire,
An frostit fingers rubbed
Till they dirl wi pain.
Buttered toast an tea,
The yellow licht o the lamp,
An the cat on the clootie rug
Afore the fire.

Helen B. Cruickshank

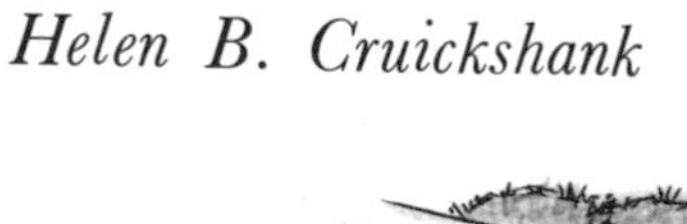

greetin *crying*
dirl *ring, throb*   clootie rug *rug woven from rags*

The Three Kings

There were three kings cam frae the East;
They spiered in ilka clachan:
"O, which is the wey to Bethlehem,
My bairns, sae bonnily lachin?"

O neither young nor auld could tell;
They trailed till their feet were weary.
They followed a bonny gowden starn,
That shone in the lift sae cheery.

The starn stude ower the ale-hoose byre
Whaur the stable gear was hingin,
The owsen mooed, the bairnies grat,
The kings begoud their singin.

Sir Alexander Gray

spiered in ilka clachan *asked in each village*
lachin *laughing* gowden starn *gold star* lift *sky*
byre *cattle-house* owsen *oxen* grat *cried* begoud *began*

HOGMANAY

Rise up auld wife an shak yer feathers;
Dinna think that we are beggars;
We're only bairnies come to play—
Rise up an gie's wir Hogmanay.
Wir feet's cauld, wir sheen's thin,
Gie's a piece an lat's rin.

....

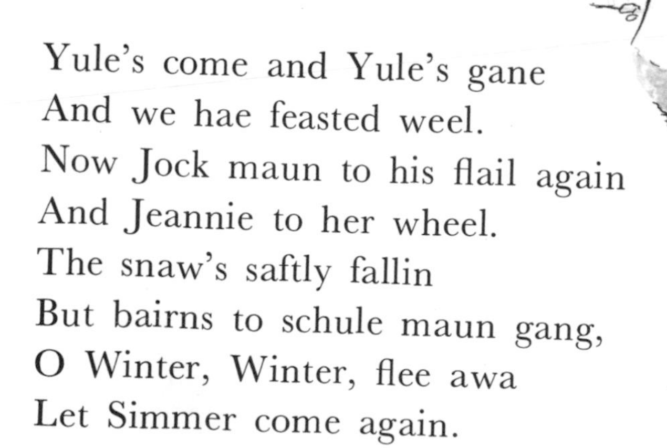

Yule's come and Yule's gane
And we hae feasted weel.
Now Jock maun to his flail again
And Jeannie to her wheel.
The snaw's saftly fallin
But bairns to schule maun gang,
O Winter, Winter, flee awa
Let Simmer come again.

sheen *shoes*

piece *slice of bread and butter*

FAREWEEL

F for Finni
I for Innie
N for Nicol-Nandy
I for Isaac Painter's wife and
S for Sugar-candy.

....

Noo my story's endit
And gin ye be offendit,
Tak a needle and threid
And sew a bit t' end o't.

gin *if*

Selective Bibliography

Alison, J. N. *ed.*, *Poetry of northeast Scotland*, Heinemann Educational, London 1976.

Annand, J. K., *Sing it aince for pleisure* (1965), *Twice for Joy* (1973) and *Thrice to show ye* (1980) Macdonald, Publishers, Edinburgh, and *A Scots Handsel* (1980) Oliver & Boyd.

Buchan, Norman, *ed.*, *101 Scottish songs*, Collins, Glasgow, 1962.

Buchan, Norman & Hall, P., *The Scottish folk-singer*, Collins, Glasgow, 1973.

Chambers, Robert, *comp.*, *Popular rhymes of Scotland*, Chambers, Edinburgh, 1870; Singing Tree Press, Detroit, USA, 1969.

Cruickshank, Helen B. *Collected Poems*, Reprographia, Edinburgh, 1971 and *Sea buckthorn*, Macpherson, Dunfermline, 1954.

Finlay, Ian H., *Glasgow beasts, an a burd*, Wild Flounder Press, Edinburgh, 1961

Ford, Robert, *Children's rhymes, children's games, children's songs and children's stories: a book for bairns and big folk*, Gardner, 2nd ed., Paisley, 1904; Singing Tree Press, Detroit, USA, 1969.

Fraser, Amy S., *ed.*, *Dae ye min' langsyne? a pot-pourri of games, rhymes and ploys of Scottish childhood*, Routledge & Kegan Paul, London, 1975.

Gregor, Walter, *Counting out rhymes of children*, Nutt, London, 1891; Norwood Editions, Norwood, Pa., USA, 1972.

Gregor, Walter, *The folk-lore of the Northeast of Scotland*, Stock (for the Folk-Lore Society), London, 1881.

Jackson, Alan, *All fall down: poems*, Kevin Press, Edinburgh, 1965.

MacGregor, Forbes, *Scots proverbs and rhymes: selected and compiled with introductory comments and a glossary*, Chambers, Edinburgh, 1948; Pinetree Press, repr., 1976.

Marwick, Ernest W., *The folklore of Orkney and Shetland*, Batsford, London, 1975.

Milne, J. C., *The orra loon* (*poems in Buchan dialect*), Findlay, Dundee, 1946; 4th ed., 1956.

Moffat, Alfred, *Fifty traditional Scottish nursery rhymes: being a collection of 50 nursery rhymes, ballads and songs with their traditional tunes*, Augener, London, 1933.

Moffat, Alfred, *Children's songs of long ago*, Augener, London, n.d.

Montgomerie, Norah & William, *eds.*, *The Hogarth book of Scottish nursery rhymes*, Hogarth Press, London, 1964.

Opie, Iona & Peter, *The lore and language of schoolchildren*, O.U.P., Oxford, 1959; Paladin Books, St. Albans, 1977 (pbk).

Opie, Iona & Peter, *The Oxford dictionary of nursery rhymes*, O.U.P., Oxford, 1951.

Ritchie, J. T. R., *Golden city*, Oliver & Boyd, Edinburgh, 1965.

Ritchie, J. T. R., *The singing street*, Oliver & Boyd, Edinburgh, 1964.

Ross, Sandy Thomas, *Bairnsangs: nursery rhymes in Scots*, Macmillan, London, 1955; school ed., 1957.

Soutar, William, *Collected Poems*, Dakers, London, 1948. *Poems in Scots and English*, (ed. W. R. Aitken) Scottish Academic Press, Edinburgh, 1975 and *Seeds in the wind: poems in Scots for children*, Grant & Murray, Edinburgh, rev. ed., 1933.

Selective Discography

Annand, J. K., *Sing it aince for pleisure* and *Twice for joy*. (Poems from these two books for children read by the author and Lavinia Derwent.) Scotsoun 009 (cassette).

Behan, Dominic & McColl, Ewan, *Streets of song*, Topic 12T41.

Campbell Family, *The singing Campbells*, Topic 12T120.

Clutha, *The streets of Glasgow*, Topic 12T226.

Clutha, *The Clutha*, Topic 12T242.

Fisher, Archie, *Open the door softly*, Transatlantic XTRA 1070.

Fisher Family, *The Fisher family*, Topic 12T137.

Folk songs of Britain, Volume 10, Songs of animals, and other marvels: a collection of songs concerning birds, beasts, monsters, miracles and downright nonsense, Topic 12T198.

Hall, Robin & McGregor, Jimmie, *Glasgow street songs*, CBS Hallmark SHM698

Hall, Robin & McGregor, Jimmie, *Kids stuff*, Decca Eclipse ECS 2161.

Lloyd, A. L. & McColl, Ewan, *English and Scottish folk ballads*, Topic 12T103.

McNaughtan, Adam, *The Glasgow that I used to know*, Caley CAL 0002.

Skuil-bairns sing: a collection of traditional Scottish nursery rhymes, songs and poems presented by children of Gourock Primary School, with Miss Lilias C. Calder, Scotsoun 023 (cassette).

Soutar, William, *Poems, riddles and songs, with contributions by Perth primary pupils*, Scotsoun 033 (cassette).

Acknowledgments

The editors and publishers are grateful to Ishbel Davidson, Librarian of Callendar Park College of Education for preparing the Selective Bibliography and Discography, and to the following for permission to reproduce copyright material:

Aberdeen University Press for 'Whispers' by J. C. Milne; Ian Hamilton Finlay for 'Ho, it was a laugh'; Alan Jackson for 'Burds'; Macdonald Publishers for 'Heron', 'Two-leggit Mice' and 'Hallowe'en' by J. K. Annand; Macmillan, London and Basingstoke, for 'Leddybird' from *Bairnsangs* by Sandy Thomas Ross; The Trustees of the National Library of Scotland for 'The Three Ganders', 'Waggletail', 'The Droun'd Bell', 'In a wee pit', 'Whan ye brak it in fine weather', 'Bawsy Broon', 'Fareweel', 'A Blowthery Day', 'The Princess Anastasia' and 'A Hint o Snaw' by William Soutar; Gordon Wright Publishing for 'Coontit Oot', 'Beasties' and 'Background' by Helen B. Cruickshank.

While every effort has been made to trace the owners of copyright material, the publishers apologise for any omission in the above list.

Illustrations by John Harrold.